Pour ma grand-mère Thora,
qui m'a appris à donner.

traduit par Natalie Zimmermann

© 1984 by Marc Brown.
© 1997, Éditions Épigones,
ISBN 2-7366-5308-4
pour l'édition française.
Dépôt légal : septembre 1997, Bibliothèque nationale.
Imprimé en Italie par Eurografica.

MARC BROWN

ARTHUR
et le Père Noël

épigones

Arthur et Didiminou sont dans le magasin depuis un long moment.
– Bon sang, Arthur, fait Didiminou. Il y a plein de cadeaux ici. Prends-en un et allons-y !

– Il faut que ce soit le bon, réplique Arthur. Je veux que
ça plaise au Père Noël.

– Eh bien dépêche-toi, le presse Didiminou. Je veux
rentrer pour voir si grand-mère est là et combien de
cadeaux elle m'a achetés.

De retour à la maison, Didiminou ajoute encore dix cadeaux à sa liste de Noël.
Une voiture s'arrête dans l'allée. Arthur et Didiminou poussent des cris de joie.
– Grand-mère, est-ce qu'il y a des cadeaux pour moi, là-dedans ? demande Didiminou.

– Grand-mère, tu crois que le Père Noël préférerait recevoir des gants ou des moufles ? demande Arthur.
– Et « Bonjour, je suis content de te voir », on l'oublie ? demande grand-mère Laura.

Après dîner, tout le monde se détend.

– Regardez, annonce Didiminou. J'ai appris un tour à Killer.

– Appris, corrige grand-mère. Tu as appris un tour à Killer. Mais Didiminou n'entend pas. Elle vient de voir à la télévision quelque chose d'autre à ajouter à sa liste.

– Arthur, qu'est-ce qui ne va pas ? demande grand-mère.

– Je n'ai pas encore trouvé quoi offrir au Père Noël, répond Arthur.

– Et il ne reste plus que deux jours ! rappelle Didiminou.

14

Le lendemain, Arthur, Didiminou et leurs amis vont faire des courses. Killer les accompagne.
Arthur fouille tout le magasin mais ne trouve toujours pas de cadeau pour le Père Noël.
– Quel est le problème ? s'étonne Didiminou. Moi, je vois des centaines de choses qui me tentent. Demande au Père Noël.

Arthur s'approche de lui :
– Père Noël, qu'est-ce que vous voulez pour Noël ?
– Oh ! Oh ! Oh ! s'esclaffe le Père Noël. C'est moi qui donne les cadeaux, tu sais ?
Didiminou se fait photographier sur les genoux du Père Noël en train de lui tapoter le ventre.

Buster est le suivant.

– Père Noël, fais attention en descendant dans notre cheminée. Mes parents oublient tout le temps d'éteindre le feu.

– Oh ! Oh ! Oh ! fait le Père Noël. Ne t'inquiète pas. Je passerai par la porte.

Puis vient le tour de Francine.

– As-tu été une petite fille bien sage ? demande le père Noël.

– Oh, oui, répond Francine en souriant. Je suis toujours sage.

– Toujours ? s'étonne le Père Noël.

Buster leur offre ensuite à chacun une glace.
Arthur peut à peine finir son milk-shake : il ne lui reste plus qu'un jour pour faire ses courses.
– Regardez ! s'exclame Francine. Le Père Noël mange des glaces!
– Je vais prendre un Banana split avec des boules à la menthe, de la sauce chocolat, de la crème chantilly et des noisettes, commande le Père Noël.
– Ça, pour en manger, il en mange ! commente Didiminou.

Une fois à la maison, Arthur demande conseil.
– Pourquoi pas une belle cravate ? propose papa.

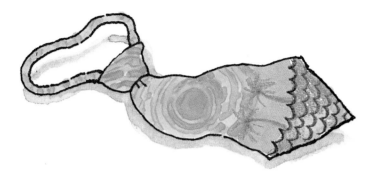

– Une lotion après rasage, ça fait toujours plaisir,
dit maman.

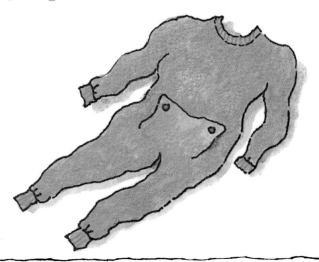

– Je parie que le Père Noël serait ravi d'avoir des caleçons
longs, dit grand-mère Laura.

– Arthur, tu prends cette histoire de cadeaux beaucoup trop au sérieux, assure Didiminou. Fais comme moi. Offre la même chose à tout le monde.

L'après-midi, tout le monde se prépare pour aller chanter
des chants de Noël.
Mais Arthur n'a pas le temps. Il doit trouver son cadeau.
– Viens, s'il te plaît, supplie Didiminou.
Sinon, je serai la seule enfant. Et puis
madame Tibble nous donne toujours
des cadeaux et du chocolat chaud.

Arthur fait du lèche-vitrines en espérant trouver une idée.
Dans la rue, le Père Noël est en train de vanter les mérites
d'une boisson de régime.

Quelques instants plus tard, le Père Noël mange
dans un restaurant chinois.

Le Père Noël doit avoir couru très vite car il se trouve
déjà au café de la place.
La serveuse crie sa commande en cuisine :
– Un steak au poivre bien arrosé, et surtout qu'il n'y ait
pas que de la semelle ! Ça marche !

« C'est fou ce que le Père Noël peut manger », se dit Arthur.
Arthur finit par rentrer chez lui sans avoir trouvé le cadeau
idéal pour le Père Noël. Celui-ci apparaît à la télévision
en train de manger des chips au piment.
– Je sais, s'exclame Arthur.
Et il commence à faire une liste.

Arthur compte son argent.
– Didiminou, appelle-t-il de sa voix la plus douce.
– Bon, combien tu veux ? demande-t-elle.
Mais seulement si tu promets d'arrêter de nous
embêter.

Le lendemain matin, Arthur remet à Didiminou la moitié de sa liste et se charge de l'autre.

Didiminou doit empêcher Killer d'entrer dans la cuisine
pendant qu'Arthur prépare le cadeau du Père Noël.
– Qu'est-ce que c'est que ce bruit ? s'étonne papa.
– C'est Arthur qui fait du bazar, répond Didiminou.
La porte de la cuisine s'ouvre, et Arthur éternue.
– Maman, combien de cuillerées de poivre il faut mettre
dans le steak au poivre ? demande-t-il.
– Je devrais peut-être venir t'aider ? suggère maman.
– S'il te plaît, non, dit Arthur. Je veux faire le cadeau du
Père Noël tout seul. Dis-moi juste combien de sirop de
menthe il faut pour faire la glace à la menthe.
– Pauvre Père Noël, soupire Didiminou.

Quelques heures plus tard, Arthur met en sifflotant le couvert du Père Noël.
– Qu'est-ce que c'est que ça ? demande papa.
– Du steak au poivre bien arrosé, du Banana split avec des boules à la menthe, et puis des nouilles chinoises. J'ai mélangé tous les plats préférés du père Noël, explique Arthur.

– C'est quoi, ce gros truc qui bouge ? demande
grand-mère Laura.
– Une pizza qui marche, avec pas que de la
semelle dessus.
– Si tu veux que le Père Noël vienne, tu ferais
mieux d'aller te coucher tout de suite, dit maman.
« Si on veut que le Père Noël vienne, il va falloir
faire quelque chose pour cacher tout ça », pense
Didiminou.

Didiminou n'arrive pas à dormir.
– Il faut que je fasse quelque chose, se dit-elle.
Ce pauvre Arthur s'est donné tellement de mal.
Mais si le Père Noël respire une bouffée de ce qu'a
préparé Arthur, il n'entrera jamais dans la salle à manger...
Didiminou descend sans faire de bruit.

Le lendemain matin, Arthur
est le premier debout.
– Le Père Noël a tout mangé !
s'écrie-t-il. Et il m'a
laissé un mot !

Cher Arthur
Tu as été très gentil de
prendre le temps de
trouver tous mes plats
préférés et de me les
préparer. Merci
Tu as raison. Noël, c'est
penser aux autres.
    Gros bisous
    Le Père Noël
P.S.
Et quelle chance d'avoir une
petite sœur aussi mignonne !